平畑静塔の百句

五島高資

生命と俳句の同化

ふらんす堂

目次

平畑静塔の百句

海苔舟をつなげる松や玉津島

「ホトトギス」
昭和2年

1

静塔は、明治三十八年、和歌山県海草郡和歌浦町（現・和歌山市）に生まれた。和歌浦は、山部赤人が〈若の浦に潮満ち来れば潟をなみ葦辺をさして鶴《たづ》鳴き渡る〉と詠んだ歌枕の地であり、芭蕉も〈行春に和歌の浦にて追付たり〉と詠んでいる。そのような由緒ある風土は、感性豊かな少年時代の静塔に、必然的に詩歌との出会いをもたらしたのだと思う。その絆はまさに産土の松にしっかりと繋がる海苔舟のように、故郷と静塔を結ぶ。そして、それは和歌浦でも随一の景勝「玉津島」に祀られた衣通《そとおり》姫《ひめ》に護られている。泰然自若な静塔の人格もここに溯る。

迎火のほとりの闇の水車

「馬酔木」
昭和5年

2

医学生の頃の作。「迎火」は、先祖の精霊を迎えるために、お盆初日の門前に灯す火。もちろん、精霊の存在は科学的に証明されないが、盆行事としての「迎火」の風景は、日本における伝統的な宗教行事として身近にあるものである。一方、「水車」は、水力を用いて穀物などを搗く機械として、科学的あるいは文明的なものとして現存する。それは西洋医学で説明される機械としての人間とも共鳴する。迎火のそばで水車が回る「闇」には、まさに、この世とあの世が接する時空として特別な詩境が立ち現れる。

南海の星没《もつ》薬となりてふる

「京大俳句」
昭和11年

3

昭和六年、静塔は京都帝国大学医学部を卒業し、同大学病院精神科に入局。昭和八年には「京大俳句」を創刊し句作に注力した。京都にあれば「南海の星」は故郷の和歌浦に瞬く星を思わせる。「没薬」は、かつて死体の防腐に用いられ、聖書では東方の三博士がそれをキリストへ捧げて、その刑死と復活の象徴とされる。かつて腸チフスで休学し、故郷での療養にて九死に一生を得た静塔には、南海の星が没薬と重なったのかもしれない。しかし、間もなく自らに降りかかる新興俳句弾圧事件による投獄と、その後の復活を思えばまさに奇しき巡り合わせの句と言える。

ガスマスクやけに真赤な雲だけだ

「京大俳句」
昭和13年

4

新興俳句の拠点となった「京大俳句」には、時代的に戦争の影響を受けた作が多く見られる。例えば〈病院船海豚に花は棄てらるる〉〈飛瀑あり一尖兵の死に懸り〉などがあるが、前者は「戦火想望の俳句」と自註がある。この「戦火想望の俳句」とは、内地にあって戦場を想像して詠んだものであり、その現実を体験しない観念的な創作に様々な批判が起こった。しかし、掲句のガスマスクは眼前の実物であり、後に起こる化学兵器戦に備えるものである。折しも空に漂うのは真っ赤な茜雲ばかり。「やけに」という措辞から「灼け」も連想されて不気味さが増す。

武器を地に累《かさ》ね木犀かぐはしき

「現代俳句」
昭和21年

5

前書に「上海集中営」とある。昭和十九年に応召、中国南京市陸軍病院に軍医として勤務。やがて昭和二十年の終戦を迎える。そこで無用となった銃器などを地面にうち捨てたのであろう。その積み上げられた武器の嵩はもちろん、少時とはいえ戦争に加担せざるを得なかった運命に対する複雑な思いが、「重ね」ではなく「累ね」と書かせたのだろう。死屍累々の記憶もよみがえる。もちろん、将来の不安はあれども、折しも木犀の芳しい香りが漂っている。本来の医師として、また俳人として次の時代を担う静塔をひそかに予祝するかのように。

徐々に徐々に月下の俘虜として進む

『月下の俘虜』
昭和21年

6

句中の「月下の俘虜」は第一句集の題名であり、掲句は静塔の代表作でもある。中国で敗戦を迎えた静塔が、上海郊外から市内の日本人収容所へ歩いたときの作。「徐々に徐々に」からは俘虜としての重い足取りが感じられるが、自註には「徒歩行進は苦にならなかった」とあり、敗軍としての諦観と共に、次の時代を模索する冷静沈着な心境も覗われる。もっとも、「生きて虜囚の辱めを受けず」の戦陣訓を知るものには死を乗り越えるべき辛い歩みだったに違いない。かつて母国で眺めた月と同じ月が、再生の象徴として、希望という一縷の光を地に差し伸べている。

夜の俘虜禱る形にピアノ弾く

『月下の俘虜』
昭和21年

7

俘虜収容所である集中営での作か。生死の瀬戸際にあって、一人の俘虜がピアノに向かっている。そうした絶望の淵にあって紡ぎ出される音楽は、同じ境遇の者の心耳に触れる。それは生死という葛藤を超えて、聞くものの魂にひとときの安らぎをもたらしたことであろう。もっとも、俘虜の演奏を許した敵兵の魂にもまたしかり。今は敵味方としてここにいるが、本来は人間どうしである。恩讐はあれど、もとより平和を願わない人間はいないはずである。そうした思いが「禱る形」に凝縮しながら、それぞれの魂へ届く音楽に夜が更けていくのである。

冬海へ光る肩章投げすてぬ

『月下の俘虜』
昭和21年

静塔は「京大俳句事件(※)」における有罪判決が響いて、出征しても軍医将校になれなかった。しかし、戦後になって、現役将校の多くが公職や教職を追放されたが、見習士官だった静塔はそれを免れたのである。早くも昭和二十一年に大阪女子医学専門学校（現・関西医科大）の教授となれたのも実力はもとより、天の導きも大きかった。掲句は「帰還」九句の一つで、〈復員船東風吹く国旗ありやなし〉の次に見える。いわゆるポツダム少尉の肩章を東シナ海へ擲ったのだろう。おそらくそれは忌まわしき軍国主義の象徴として冷たく輝いていたのである。

※詳細は、巻末の「平畑静塔小論」を参照。

秋の夜の「どん底」汽車と思ふべし

『月下の俘虜』
昭和21年

9

戦後はじめての句会で奈良を訪れた際の作。当時は汽車の屋根にまで人が溢れるような、まさに地獄の底のような交通事情があった。また、戦前、静塔らが推し進めた新興俳句運動は官憲によってすでに壊滅させられ、復員すれば敗戦による荒廃した現実社会があった。そうした「秋の夜」の奈落にあって、俳壇もまたまさに危急存亡の秋《とき》にあると思われたのだろう。秋元不死男、西東三鬼らと共にした句座は、新しい戦後俳句を目指して「どん底」から這い上がろうとする夜汽車と重なる。そして、そこには俳句によせる静塔の静かな決意と胆力を覗うことができる。

工場の火の落ち京浜線ひかる

「俳句研究」
昭和22年

10

現在では、工場夜景が観光スポットとなって久しい。巨大な建屋はもとより、林立する煙突や複雑な配管などに灯る無数の光が織りなす光景は幻想的であり、二十四時間操業や保安などのために夜中輝く工場群はまさに不夜城である。京浜線が通る大田区、川崎市あたりの海岸地帯は工場夜景で有名。もっとも、掲句が詠まれた戦後間もなくは、ちらほら灯る小さな工場の光も夜ともなれば消えていたのであろう。工場や職場から帰る人々を乗せた電車の灯が際立つ所以である。無季の句だが、遅くまで働く人々の健気さが身に沁みて感じられる。

我を遂に癩の踊の輪に投ず

『月下の俘虜』
昭和22年

岡山のハンセン病患者隔離施設を大阪女子医専の学生達と訪れた際の作。折しも患者らによる盆踊が催されていた。当時、癩菌の感染力は低いことは知られていたが、治療法が充分に確立されていなかった。ゆえに患者と接近することは躊躇われたはずだが、学生に促されて静塔はその踊の輪に加わった。それはまさに我をして我を捨て去る「忘我」の境地だったのではないか。盆踊における音楽性と体感性、そして何よりもその回転運動が二項対立的な観念を超えて真の人間性を発露させるのかもしれない。以後、それは静塔俳句の核心的な詩境となる。

藁塚に一つの強き棒挿さる

『月下の俘虜』
昭和23年

戦後一時期、主に「天狼」の中堅俳人らを中心に、俳句における詩的原点を追求する文学的志向、いわゆる「根源俳句」運動が起こった。掲句は、その代表的なものの一つ。「藁塚」とは、収穫後の田に積み上げられた藁束で円筒形が多い。そこに一本の棒が突き刺さっている。それだけなら単なる客観描写だが、「強き」という措辞によって、一本の棒が一つの生命力を宿す。そこにおいて固定観念を超える体感的詩境が開かれる。もっとも、そこに男女の和合を見る向きもあるが、そうした寓意もまた真の「写生」によって詩的に昇華されるであろう。

蛍火となり鉄門を洩れ出でし

『月下の俘虜』
昭和24年

鉄門を精神科病院の門、そして、蛍火を患者とする解釈も良かろう。しかし、私は、鷹羽狩行が掲句に感じた「死んで初めて門外に出られるであろうとの絶望感」に注目する。ちなみに東京大学にある鉄門は同大医学部の象徴となっている。ちょうど掲句が詠まれた頃、訳あって静塔は大学教授を辞するが、それは一種の社会的な死と言えなくもない。また、「京大俳句事件」での収監や捕虜収容所での記憶も相俟って、権威主義的な桎梏から身を捨てる覚悟で離脱する静塔その人の詩魂が「蛍火」のような気がする。蛍火が冷光と呼ばれるのも肯ける。

狂ひても母乳は白し蜂光る

『月下の俘虜』
昭和24年

大阪府にある阪本病院に移って、臨床医として患者と接しての作。場景は産褥性精神病の女性の張った乳房が絞られているところ。この病気は、躁鬱病や統合失調症のような症状を呈する。実際の蜂は病院の庭を飛んでいたらしく、春の陽光に輝いて見えたのであろう。健気な母乳の白さと蜂の眩しさが、却って、人間のみが患う精神病の異様さを際立たせ、人間であるがゆえの悲しみを誘う。自註には「私は蜂となって天空から彼女を見守るだけ」と記されており、慈悲に溢れる天使の次元へと詩想が昇華されている。静塔の代表作として白眉と言えよう。

※「狂ひても」の「狂う」は、今日では差別的表現とされているが、この当時においては一般的表現であったことをお断りしておく。

少年院に親が垂らして柿の皮

『月下の俘虜』
昭和25年

15

少年院へ対診に訪れた際の作か。そこには様々な要因で精神的医療を必要とする者が少なくない。特に適切な愛情を幼児期に受けられなかったがゆえに社会的規範を逸脱するケースは多い。掲句には、少年の姿こそ見えないが、剝かれては切れそうで切れることのない柿の皮が長く垂れている。親子関係もまた然り。そうした人間模様を一つの光景として冷徹に捉えてなおそこにある静塔の優しさを思う。「人生の悲劇の第一幕は親子となったことにはじまっている」という芥川龍之介の言葉が身に沁みつつも、柿の実が少年の魂を癒やすことを願うばかりである。

胡桃割る聖書の万の字をとざし

『月下の俘虜』
昭和26年

16

静塔は昭和二十六年にカトリックに入信し、ルカの名を授かった。医者の守護聖人の名を得たことは、精神科医としての静塔にとって、病める心を救済するという意味で相応しい。そもそもキリスト自身が人々の病を癒やす能力を持っていたから、聖書を精読することは大事な意味を持つが、そこに書かれた文字は百数十万にも及ぶ。秋の夜長にそのページをめくる度に、色々な感銘や発見があっただろう。「胡桃割る」という措辞には、それらを得心した静塔の喜びが覗われる。そこには言葉を超えて魂を癒やす力への信頼も感じられる。

故郷の電車今も西日に頭振る

『月下の俘虜』
昭和27年

明治四十二年、路面電車（のちの南海電鉄和歌山軌道線）が和歌浦まで開通し、静塔の実家や玉津島神社の前を通る。一漁村に過ぎなかったところに、当時としては最新鋭の電車が走っていたことが静塔少年には誇らしかったようだ。そのレールの上に針金を置いてはそれが延びるのを面白がった悪童が車掌に叱られたことがあったが、自註では静塔もその一味だったことが白状されている。回想の句であり、「京大俳句事件」で故郷の実家から除籍された苦い記憶も「頭振る」に共鳴する。西日によって故郷への複雑な思いが照らし出されるのである。

罪抱きて渦の芝火の中にあり

『月下の俘虜』
昭和27年

静塔がキリスト教に入信した翌年の作。それを考えると、掲句の「罪」は原罪を想起させる。アダムとイブが「知恵の木の実」を食べたことで、神しかできない善悪の判断をできるようになったことは、人が神を冒瀆したことでもある。そのとき以来、人類はアダムの「罪の性質」を継承することになる。そして、それは生死などといった二項対立的な葛藤のスパイラルを生むことになる。渦巻く芝火に作者が囲まれているのか、罪を思う作者の心が渦巻く芝火と共鳴しているのか。「芝火の渦」ではなく「渦の芝火」と詠むことによって句がより深長となった。

とぢこもり暗く嶮しき茸を掘る

『月下の俘虜』
昭和28年

「京大俳句事件」で静塔は故郷の実家から除籍され、戦後、医学校の精神科教授へ復活するも間もなく自ら教職を辞した。山口誓子は、『月下の俘虜』の序文に「戦争がすんで久しい時の距たりの後に見た君（静塔）は、私の目には『沈鬱の人』として映つた。さう見た瞬間君の生活が君を沈鬱の人とし、君を深めたのだと思つた」と記している。孤独は往々にして自己探求の契機となる。それには、自己の基底をなす無意識に迫らなくてはならない。そこはまさに茸を形成する菌糸が広がる暗い地下に似ている。自己と茸との同化が覗える。

枯野ゆく鳴りを鎮めし楽器箱

『月下の俘虜』
昭和28年

20

「黒いケースにしまわれた楽器のバイオリンは、何か喪に服したように沈黙して終って、枯野みちを携行されてどこかへ移動してゆくと云う私の詩」と自註には記されている。前述した「とぢこもり」の句を、様々な死の淵にあって更に自己の内面を掘り下げる詩想とすれば、掲句は、ノマド的な彷徨に斃死も厭わない覚悟が覗われる。そうした垂直的かつ水平的な詩的ベクトルが静塔の詩境を拡充する。そこでは枯野がやがて春野となる時間性も相俟って鎮魂された楽器から再び魂振による音楽が生命と共鳴する。「潜」ではなく「鎮」とした所以でもある。

台風のささやき白き歯をみせて

『旅鶴』
昭和29年

大阪府にある京阪病院時代の作。病院の近くを淀川が流れている。折しも台風が近づいており、雲行きも怪しくなり始めた頃だろうか。水面にはいつもと違う白波が連なっており、台風襲来の予兆と知れたのであろう。もちろん、それは淀川に限らず、大阪湾などでも構わない。今はまだ美人の明眸皓歯からもれる「ささやき」かもしれないが、やがて、それは大嵐という鬼となって牙を剝いて襲ってくる。台風が迫る気配は男女の諍いのそれに似ているかもしれない。いずれにしても「ささやき」で切れて、万物に宿る生命の交響が感じられる。

銀河より享けるる微光や林檎かむ

『旅鶴』
昭和29年

22

地球の住所は「局部超銀河団、おとめ座銀河団、局部銀河群、天の川銀河、オリオン腕、太陽系、第三惑星」となる。つまり、地球は銀河の一員として星々から放射される電磁波（光もその一つ）を受け、自らも電磁波を放射している。ところで、ビッグバン仮説によれば、星々はもちろん生命も意識もまた宇宙の彼方から来たことになる。さらには、物体も精神も時空を超える高次元の世界に由来するのかもしれない。ともあれ、星も人も林檎もまた天与の欠片として互いに微かな光で交流しているのである。単なる「受」ではなく「享」とした所以だろう。

世のすみに焔の甘きクリスマス

『旅鶴』
昭和30年

『平畑静塔全句集』の年譜には、「昭和二十六年、カトリックの洗礼を受け、耶蘇名ルカを得るが、その後離れる」とあるだけで、いつ頃、棄教したかは不明。入信については、「京大俳句事件」で被った刑罰やそれに伴う様々な社会的差別によって傷ついた魂が、キリスト教における原罪からの救済に惹きつけられたからか。掲句には、クリスマスの灯火に一抹の癒やしを感じている作者が見えてくる。しかし、「一隅を照らす」といった仏教の影響も覗われ、もはや宗教よりも、俳句における言霊の詩的昇華に魂の救済が求められているような気がする。

春の闇避難階段桁重ね

『旅鶴』
昭和30年

この句が詠まれたのは、まだ戦後間もない頃であり、新たに建てられたビルに設けられた避難階段も真新しく見えたのであろう。原則、五階以上の建物などにはその設置が義務づけられているから、高いビルの側壁にZ字型の階段が連なっているのが彷彿される。たいていそれは火災などの際に高階から人が地上に逃げ下りるためのものだが、掲句では「桁重ね」という措辞によって地上から天上へと向かうベクトルに注意が向いているようだ。あたかもバベルの塔の階段のように。そう考えると、「春の闇」のやわらかな本意とは違う詩境が立ち現れる。

一本の道を微笑の金魚売

『旅鶴』昭和31年

自註には、「赤光—秋櫻子—誓子—三鬼—虚子とつづいたわが文学の道」とある。つまり、「一本の道」とは、これまで静塔が先達の求めたる所を求めた来歴であり、「金魚売」は静塔その人と思われる。金魚売は、天秤の両端に吊した盥に金魚を入れて売り歩くが、静塔が天秤に掛けたのは、例えば、生と死、あるいは、主体と客体などか。もっとも「俳諧」は「滑稽」とほぼ同義であり、その一つの要素である「微笑」に溯る。そうした俳諧精神に貫かれた「一本の道」にあって、二項対立的観念を超克して恬淡と微笑むのは静塔の真骨頂である。

ばら掘りし穴秋晴れにあけわたす

『旅鶴』
昭和31年

26

薔薇を植え替える適期は冬なので、秋に掘り出すのは「ばら」を除去するためか。そうすると「ばら」が掘り出された「穴」はその死を象徴する。「ばら」が大きければ大きいほど「穴」も大きくなる。秋晴れの陽光に明け渡さなければならないほどの大きさだったのだろう。逆に言えば、それだけ「ばら」の生命力が大きかったことになる。大いなる太虚が大いなる生命を支えていたとも言える。いったん「穴」は大気を通して秋の空と連なり、あるいは陰極まって陽となり、万物の根元となるのかもしれない。生生《しょうじょう》流転《るてん》の一様相が句の根底に覗われる。

白障子までひとすぢに畝起す

『旅鶴』
昭和32年

「ひとすぢに」という措辞は、一条の畝というだけでなく、一所懸命に田畑を守り続けてきた人の姿を彷彿させる。ところで、芭蕉に〈山も庭も動き入るるや夏座敷〉があるが、掲句もまたそれに似た構図を感じさせる。「白障子まで」だから、掘り起こされた畝がまさに生き物のように家の中まで入ってくるようなダイナミズムがある。掘り起こされたばかりの畝の黒さと白障子の白さというシンプルな対比も剛毅木訥な耕人や静塔の性格を表しているような気がする。芭蕉の句は武家屋敷で詠まれた挨拶的要素があるが、静塔の句はあくまでも土俗的である。

鍬の柄に天地の春の顎あづけ

『旅鶴』
昭和33年

北河内（現・大阪北東部の淀川左岸一帯）での作。今では都市化されてしまっているが、昭和三十年代は、まだのどかな田園風景を残していたようである。耕人が、作業の途中で長い柄の柄尻に顎を載せて一休みしている光景が詠まれている。長い鍬の柄尻に賢しらな頭を預ければ、浩然とした天地の気がその心に満ちあふれるだろう。そうした天地人の融和をもたらす春の生気は、一人耕人に限らず、それを眺めて一句に詠んだ静塔の心にも共鳴したに違いない。掲句について、静塔曰く「天地の春雄大。大小の宇宙を表す」と。宜なるかな。

蓮の葉のごはごはさはる原爆忌

『旅鶴』
昭和33年

29

蓮の葉には十ミクロンほどの突起が無数に並んでおり、更にその突起にも無数の小突起が付いている。これらによって撥水効果が生まれるが、それゆえに葉の表面は平滑ではなく凸凹としている。無数の葉がひしめくと葉と葉がごわごわと触れ合う。一方、被爆者が水を求めて池や川に溢れると、その焼けただれた衣服や皮膚が擦れ合う。「ごはごは」はまさに「恐々」と共鳴して被爆者の惨状を彷彿させる。いずれにしても、蓮の葉が泥水を弾くように、核戦争を引き起こす究極の貪欲を寄せ付けない仏性が人類一人ひとりに発揮されることが望まれる。

枯枝の網の目に星牡丹鍋

『旅鶴』
昭和35年

30

交錯する枯れ枝の隙間から無数の星の光が洩れ、食卓の鍋にはまさに牡丹の花のように渦巻く猪の肉が煮られている。よくある冬の光景のようだが、掲句には、宮沢賢治がいう「有機交流電燈」と同じ光の明滅が感じられる。枝が枯れて地に至る日光が下萌えを育み、春には再び木が芽吹く。また、猪は死んで人の命を支え、あるいはその瓜坊へと引き継がれた命がやがて躍動する。そして、星も死んではその欠片がまた新しい星となる。そうした「因果交流」による重重帝網《じゅうじゅうたいもう》を俯瞰する静塔の命もまた生生流転する。まさに諦観の句として卓越している。

精神科運動会天あけひろげ

『旅鶴』
昭和35年

俳句にかつては「狂院」という言葉が見られたが、これは「癲狂院」の略称で音数が短く使いやすかったからであろう。しかし、現実では、癲狂院から精神科病院と改称されて久しい。ところが、名は変われども、その約七割が閉鎖病棟であり、患者の自由が制限される傾向は続いている。病院での運動会も敷地を囲む壁によって患者と社会との水平的な交流が妨げられる。「天あけひろげ」の句跨がりが五七五・定型という拘束を解放することと、せめて天上という垂直方向へ患者を解放したいと願う静塔の心がうまく共鳴することによって一句が詩的昇華した。

稲を刈る夜はしらたまの女体にて

『旅鶴』
昭和36年

32

掲句が詠まれた頃はまだ人の手による稲刈りが専らであり、それに勤しむ健気な女性の作業が過酷であればあるほど、夜の女体はいっそう愛おしく感じられる。そうした女性に対する敬意が「しらたま」という美称に表れており、その響きと相俟って古代と変わらない農耕文化の粋をそこに覗うことができる。ところが、静塔は、この句を詠んだ翌年、栃木県・宇都宮市に転居する。金子兜太は「宇都宮定住がよかった。静塔は下野の風土と調和して野性を加えた」と指摘したように、北関東に残る縄文的な野趣が静塔の詩境をさらに深めてゆく。

もう何もするなと死出の薔薇持たす

『栃木集』
昭和37年

西東三鬼への弔句。三鬼には〈水枕ガバリと寒い海がある〉の名句があるが、栗山理一は「寒い海」に「死の影におびえる病者の一瞬の心理の起伏」を指摘。昭和十三年、三鬼は肺結核の再発から腰部カリエスとなり危篤となるも一命を取り留めた。その二年後には、静塔と共に「京大俳句事件」で検挙されるなど、身体的のみならず社会的な死にも直面する。その反動か、放蕩も目立ったが、晩年は、現代俳句協会や俳人協会の設立にも尽力した。静塔は三鬼が歯科医だったこともあり公私にわたり親しい間柄にあった。薔薇はまさに情熱の人の鎮魂にふさわしい。

入国やきざはしなして鰯雲

『栃木集』
昭和37年

34

昭和三十七年四月に西東三鬼が死ぬと、同年九月に静塔は宇都宮病院の院長として、栃木県宇都宮市に転居する。生来、関西にあれば、西行や芭蕉などに縁の深い「みちのく」への憧憬があったのかもしれない。加えて「京大俳句」時代から苦楽を共にした三鬼との永訣が東国・栃木への移住を決定づけたように思われる。ところで、縄文文化に根ざした原日本的風土が残る東日本には、かつて下野国も包摂した日高見国があったと云う。「入国」とはそうした日高見国《ひたかみのくに》が意識されての措辞だろう。日の輝く高い天上へ連なる鰯雲が階と見えたのも肯ける。

黒き川花火の夜を流れずに

『栃木集』
昭和38年

栃木県足利市を流れる渡良瀬川での作。渡良瀬川はかつて上野国と下野国の国境線の役割を持ち、やがて利根川と合流し太平洋に出る大河である。現在でもその河川敷で花火大会が開催されるが、静塔が訪れた時はまだ街の明かりも疎らで、そこには太古の原風景と変わらぬ闇夜が広がっていたのだろう。もっとも、花火が川面に映えるのは一瞬であり、緩やかな流れの大河であれば瀬音も聞えず、その流れを確かめるのは難しい。それより、太古から時の流れが止まったような場景に静塔は今も保たれている毛の国の奥深い風土を感じ取ったのだろう。

病室は大地のつづき青いなご

『栃木集』
昭和38年

静塔が宇都宮病院（精神科）の院長に赴任した昭和三十年代は、精神科はほとんどが閉鎖病棟だった。そこは常時施錠され、職員の許可がなければ外へ出られず、面会も制限された不自由な空間であった。皮肉なことに、静塔が病院長を辞めた後に起きた「宇都宮病院事件（※）」の反省から法整備が進み、患者の人権が擁護されるようになった。その後、開放病棟が増えることになるが近年はまた減少に転じている。とまれ、掲句には、青いなごに象徴される田園の多い栃木の風土にあって、病室を大地へと開放する先取的な静塔の思いを覗うことができる。

※宇都宮病院の看護職員が入院患者2名をリンチして死亡させるなど、精神障がい者の人権を侵害した事件。（「朝日新聞」1984・3・14朝刊）その時すでに静塔は院長ではなかったが、これを契機として再び同院長に就任してその再生に尽力した。

種をまく二人重なり二人かな

『栃木集』
昭和40年

栃木県に移住してから、静塔は足繁く県内を巡っている。例えば、那須連山、日光、湯西川、男体山、室の八島、干瓢畑、那珂川の鮎簗、渡良瀬川、足尾銅山、渡良瀬遊水地など。これも栃木県を第二の故郷として、その風土を愛した証である。掲句もまた通りすがりの畑で詠まれたのだろう。種を蒔く農夫婦がたまゆら重なったかと思うと、直ぐにまた離れてゆく光景が絶妙に捉えられている。そこには、二人が出会って一緒に暮らし、そしてやがては死に別れるという違った時の流れも感じられる。畢竟、無常迅速にあって生命を愛おしむ静塔がそこにいる。

青胡桃みちのくは樹でつながるよ

『栃木集』
昭和40年

自註には「仲間と福島岳温泉に泊りて遊びしとき。阿武隈の川のほとり、樹は高々と空につらなり、梢伝いにどこまでも行けそうな茂り」とある。自然豊かな樹々の交わりに「みちのく」という風土の本質が洞見されている。今でも和胡桃（鬼胡桃）は東北地方の特産としてその用途は多い。青胡桃となれば夏の樹々の生命力とも詩的に共鳴し、それは縄文時代にまで溯る「和（環・輪）」に象徴される原日本の風土とも繋がる。「つながるよ」という措辞は時空を網羅して、「みちのく」に対する静塔の優しい目差しを感じさせる。まさに慧眼でもある。

梨の花とんで母屋の塵となる

『栃木集』
昭和40年

静塔が訪れたのは茅葺き屋根の大農家。家業を継ぐのが嫌で、いわゆる「引きこもり」となって粗暴な行為に走る跡取り息子を往診するためだった。折しも裏庭の梨園は花盛りで、自註には「風がふけば花吹雪、それが不思議に母屋の周りにたまる」とある。古い慣習に囚われる両親には、息子の了見など塵芥に等しかったのだろう。静塔にとって梨の花が吹き溜まる母屋こそが病因である古い慣習を象徴すると察していたのだろう。もっとも、「かたじけなひとつの塵のなかにだもよもの仏のこもらぬはなし」ということを静塔が弁えていたのも間違いない。

行者みち紅葉山より天にぬけ

『栃木集』
昭和42年

物質文明の逼塞により、古来の修験道など、再び自然の聖性へと関心を寄せる現代人が増えている。深山の霊気に触れて、心身が浄化され、再び清浄な心に生まれかわる「擬死再生」には未来を切り拓く可能性が秘められている。栃木県西部には、古代からの山岳信仰が残っており、日光修験などが今も行われている。また、足利市の行道山浄因寺はかつて東の高野山と呼ばれ、葛飾北斎が『足利行道山雲のかけ橋』のモデルとした天高橋もある。「紅葉山より天にぬけ」という表現には、前述した修験道における高次元世界への飛翔が覗われて興味深い。

枯すすき海はこれより雲の色

『栃木集』
昭和43年

秋田県雄物川河口での作。自註には「日本海もこの北になると新潟辺とはちがう深みの色がある。雲そのものの色と云う外なかった」とある。特に冬の日本海は鈍色の印象がある。それは水平線で繋がる海と空、そしてそこに浮かぶ雲もまた濃淡の違いはあれ例外ではなかったろう。まして、北国であれば、その寒冷な気候によって暗く感じられるだろう。一方、枯すすきの穂は尾花色として白銀の印象がある。日が当たればなおさらである。掲句は、「枯すすき」で切れて微妙な色調の対比が生まれ、冬の日本海の陰鬱さがいっそう際立つ。

みえぬものひかるしぐれのうへのあめ

『栃木集』
昭和43年

この後にも〈たけのふしながくひとつぶづつしぐれ〉という、やはり、平仮名だけの句が並んでいる。自註では両者とも京都嵯峨での作。佐藤鬼房は「ここに和語感覚特有の、垂直空間に滲む切れ目のない模糊の、抽象情感（雨や光を霊的に伝える）が見える」と評す。「抽象情感」とは、語音と意味が一体化した大和言葉の根元に溯る言霊による詩的共感の謂であろう。掲句では、直感的洞見によって「時雨の上の天」に「見えぬもの」を捉えている。それは、まさに芭蕉が云う「ものの見えたる光」であり、古人が求めた高次の詩境にこそ立ち現れる。

海の中鯖青くして雪止みぬ

『栃木集』
昭和44年

静塔夫妻は、正月旅行のため柏崎に旅したが、大晦日から夜来の大雪。三日には、糸魚川で句会に参加する約束のため、二日中に、数キロの雪道を歩いて南下し、やっとタクシーを拾い、直江津を経て糸魚川に到着。苦難の末に見た、雪晴れの空とエメラルドグリーンの日本海の美しさに静塔は心打たれる。その景は鯖をよく食べさせられたという故郷の思い出と相俟って海中の鯖が洞見される。海《わた》は腸《わた》に通じるが、かつて故郷を追われた静塔にとって、青く渦巻く鯖の群れは、何か雪辱が果たされたような清しい体感として立ち現れたのかもしれない。

そばまきのことばことだま幸きはふよ

『新編・栃木集』

昭和44年

「そば」に蕎麦の漢字が当てられたのは平安時代らしい。その語源については、その実が角張っているので「稜《そば》」、あるいは、それが険峻な山地にも育つことから「岨《そば》」と呼ばれたという説がある。ソバ自体は縄文時代に伝来したらしいが、「そばまき」の「まき（蒔き）」は中七・下五の「ま幸き」と共鳴し、音韻による詩的感興をもたらす。栃木県では山地やその麓にソバ畑をよく見かける。今では、田圃の側も例外ではない。掲句は、縄文文化と弥生文化の両方を色濃く残す栃木の風土が言霊に根ざす大和言葉にうまく捉えられている。

一天の青き神代を里神楽

『壺国』
昭和45年

里神楽は、禁中の御神楽に対して、多くは諸国の神社などで行われる。高千穂の夜神楽や出雲神楽は有名だが、地方の過疎化と共に小さな神社での神楽は衰退している。掲句が詠まれた頃の栃木県にはまだ多くの里神楽が残っており、その土俗性がゆえに却って、神と人との密接な関係性が際立ったのであろう。自註には「空が余り青く晴れて、天の岩戸の前と錯覚する」とある。掲句には、まさに神々が次々と成りませる高天原の青天と人間である青人草の共鳴はもとより、若き生命力によって統べられた神人合一の境地に「青き神代」が体現されている。

青まほら成して早乙女ひきさがる

『壺国』
昭和45年

「まほら」とは「真秀ら」すなわち、まことに素晴らしいところという意味。それに「青」を冠すれば植田が連想される。そこに早乙女とあればなおさらである。もっとも、田植え直後は苗が疎らで、青田というにはまだ一ヶ月ほどかかる。従って、掲句における「青」とは、これから伸びゆく若い苗の生命力を称える措辞と捉えたい。また、植田の水面に映る青天とも共鳴する。ちなみに、田の神を天から迎える祝いが「さおり」、田植えが終わって田の神を天に送る祝いが「さのぼり」。早乙女が一斉に田を後にして「青まほら」が完成するのである。

筑波嶺も仕舞ひたくなる雛納

『壺国』
昭和46年

筑波山は、茨城県南部に位置し、「西の富士、東の筑波」と称され、男体山と女体山の二峰からなる。陽成院が「筑波嶺の峰より落つる男女川恋ぞつもりて淵となりぬる」と詠んだ男女川もこの山に源を発しており、歌枕の地でもある。東京からとは違って、栃木県から望む筑波山は二峰がくっきりと並んで、あたかも男雛と女雛のように見える。宇都宮あたりから見れば、遥か彼方の筑波山は手に取れるほど小さい。掲句の詩想はまさに栃木独特の風土に裏打ちされている。手もとの箱に筑波山を収めるという大胆でユニークな発想が生まれる所以である。

前うしろ竹のはらから竹落葉

『新編・栃木集』
昭和46年

宇都宮市北部にある若山農園での作。現在、そこは若竹の杜（若山農場）として広大な圃場に多くの竹が栽培されていて、京都・嵯峨野を彷彿させる。蔚然たる竹林へ入ると日常の喧噪を忘れさせてくれる別乾坤が疲れた心を癒やしてくれる。静塔は、農園主の長男と文学を通して昵懇の間柄だったこともあり、しばしばそこを訪れている。竹林の小径にその葉が降りしきるただ中に立てば前後際断の絶対境と掲句の詩境が重なる。地下茎で繋がる竹はまさに同胞であり、本来、人類も又しかり。Ａ音の頭韻もまたよく利いている。

山開来世へ僅かづつ登る

『壺国』
昭和46年

「男体山を詠ふ」と前書のある連作の一句。一作目は〈雷峯となす山口に注連を張り〉。栃木県は雷が多く、宇都宮は雷都と呼ばれる。かつて雷は山で生まれて平野に下りて来ると考えられていたこともあり、日光連山も畏敬の対象となり、その主峰が男体山（山体自体が大国主命）ということになる。まさに注連縄が登山口に張られる所以である。山開きの八月一日、静塔は男体山に登った。ふだんは時間が流れるという水平的思考に囚われているが、掲句では、来世が垂直方向に開かれていく。それは時空を超克する詩境への志向と重なる。険しい道程である。

ぬばたまの黒曜石の呼びし雪

『壺国』
昭和46年

50

自註では、蓼科高原霧ヶ峰で越年した際に泊まった宿のロビーにあった巨大な黒曜石に触発されたとある。白雪は夜の闇から現れては吸い込まれる。その闇は黒光りする黒曜石と共鳴する。もっとも、黒白の相克だけでなく、「ぬばたまの」という枕詞の根底にある聖性によって掲句は詩的昇華する。ぬばたまとは、射干の実であるが、その黒い種が芽吹いて、やがて曙光のような赤い花を咲かせ、そして再び黒い実をつける。そこに洞見される循環再生する宇宙の原理に古代人は聖性を感じ取った。「ぬばたまの」は単に黒さだけにかかるのではないのである。

敲くべき扉はなくて樹氷界

『壺国』
昭和46年

樹氷といえば山形県蔵王を思い出すが、自註には「壺国の中の句。神聖樹氷園に足をふみ入れた途端の寸感」とあり、〈壺の国信濃を霧のあふれ出づ〉という句から、信濃つまり長野県蓼科・北八ヶ岳あたりでの作と思われる。枝葉に氷晶をつけた針葉樹林が立ち並ぶ雪山は、この世とは違う白銀の世界を現出させる。「敲くべき扉はなくて」はまさに推敲という人為を超えた造化の妙を目の当たりにした静塔の率直な感慨だったに違いない。

その後にある〈樹氷林青き天路に出てしまふ〉という句からも、羽化登仙したかのような静塔の詩境が覗える。

海を踏む思ひ絵踏を終へにけむ

『壺国』
昭和47年

「長崎詠草」と前書がある。他にも、〈召されしといふはりつけの足袋はだし〉〈浦上や涙喜捨して泉湧く〉など、キリシタン迫害や原爆をモチーフにしたものがある。もちろん、戦後の近代にあって、直接その惨劇を知らなくても、長崎の風土からは時を超えて地霊は立ち現れる。掲句では、ついに静塔自身と当時のキリシタンとが一体化している。絵踏は春先に行われることが多く、その金属製の形像はまだ寒い海の冷感と共鳴するだけではなく、キリシタンにとっては海にも沈む辛さがあったろう。母なる海に大いなる慈悲を願うばかりである。

黒髪の御山の許す寝正月

『壺国』昭和47年

53

　掲句の直前に〈童女なり初男体に声聞ゆ〉があることから、静塔は年末年始を男体山の近くに過ごしたのであろう。日々の診療に忙しかった静塔には、男体山を望む中禅寺湖畔での休暇はつかのまの楽園だった。もっとも、男体山は大国主命の御神体であるが、その山容が梳った女性の髪のように見えることが黒髪山たる所以である。山の神は女性が多いが、前述したように男体山は両性の性質を持つ。また、日光修験道もまた本来的に神仏習合であり、二項対立的な固定観念を超えたものである。そこにこそ融通無碍なる男体山の神聖なる包容力がある。

寒星は毛《け》の両《ふた》国に一つ星

『壺国』
昭和47年

JR東日本の両毛線の名は、栃木県（旧下毛野国）と群馬県（旧上毛野国）を結ぶことに由来する。現在では渡良瀬川を中心として栃木県南部と群馬県南部が両毛地域と呼ばれている。ちなみにその一帯には一万数千基ほどの古墳があり、古代東国における文化の中心地として、東日本最大の経済力を持っていたと推測される。もっとも、同時にその二つの毛野国はライバル同士であったが、それらから眺める寒星は一つにして、それは古代東国の要として輝いていたに違いない。これまで畿内を日本の中心としてきた古代史観はそろそろ改めなければならない。

夏祭献燈峠にて終る

『壺国』
昭和47年

山野に囲まれた地域では、外部との交流において、「峠」はその要所として特別な地点とされた。良いものも悪いものもそこを通って出入りするため、古代から塞の神が祀られる聖地でもあった。そもそも「とうげ」は古代の「手向け」が語源であることからもそのことが推測される。また、「峠」という漢字は、「とうげ」を意味する国字として作られたものである。山にあって道を上下に分けるところであり、同時に、地域とその外を区別するところでもある。神に捧げる献灯が峠を基点とする所以もそこに存す。内陸国の風土がさらりと詠まれて妙。

落葉焚く倭以来の煙立て

『壺国』
昭和48年

56

自註では「武蔵高麗の里での作」とある。現在の埼玉県日高市付近にあたる。その歴史は古く、七一六年に、関東に散在した渡来系高麗人一七九九人が武蔵国に遷されて作られた高麗郡に由来する。「倭《やまと》」は広義には日本の古称だが、『大祓詞』では日本を「大倭日高見国」と呼ぶことから、狭義には「倭≒西日本」と「日高見≒東日本」とも考えられる。句中の「倭」からは、静塔の故郷が大和に近いことも想起されるが、紀元前後から七世紀頃までの古代日本が想定される。高麗人の来日とも時代的に重なる。古今を通じて立つ煙に往時の光景がさまざまに偲ばれる。

蛇口より東《あづま》若水ほとばしる

『壺国』
昭和48年

「若水」は、元日の早暁に汲んで、歳神に供えたり、嗽口などに用いる清水である。本来、それは井戸や海などから取られるが、水道が普及した近代にあっては、蛇口から出る水もまた「若水」と見なしても良いかもしれない。特に静塔が住んでいた宇都宮は日光連山に発する鬼怒川から上水道を引いており、その水は清らかなイメージがある。実際に宇都宮市は「水道水のおいしい都市三十二選」の一つに数えられたこともある。時は溯るが、藤原秀衡公による磐井清水若水送りなども思われて、威勢の良い東国・日高見の風土も掲句に覗うことができる。

朽縄と見られ藪蛇少し這ふ

『壺国』
昭和48年

前書に「若山竹園（宇都宮）」とあるから、前述した現・若竹の杜での作。その鬱蒼とした竹林に静塔は蛇を目撃する。自註に曰く「藪蛇とは文字通り藪住みの蛇のことである。つつけば出ても来ようが元来は隠者である」と。そう言えば、大阪での都会暮らしより栃木での侘び住まいを選んだ静塔にとって、自らと藪蛇が重なったのかもしれない。この二年前に静塔は蛇笏賞を受賞し、その後、栃木県文化功労者に選ばれている。つつかれれば少しく本領を発揮するが、本来は藪蛇と同じ隠者と変わりなく、その眼光は藪にあっても鋭さを忘れない。

男体に破れを詫びて障子貼る

『壺国』
昭和48年

59

宇都宮の地からはたいがい男体山を望むことができる。おそらく静塔宅からもまたしかり。そして、その障子の破れから男体山が窺われたのだろう。ようやくその破れを繕うことになるが、それはついに冬支度の時期となってしまった。その間に男体山の神である大国主命に雑多な家の中をお目にかけることになってしまったことを静塔は申し訳なく思ったのだろう。神仏が身近に感じられる独特な風土と静塔の優しさと神を敬う心がうまく一句に体現されていると言える。障子が張り替えられると、男体山は見えなくなるが、そのご加護に変わりはない。

撒餅の足らずて銀杏黄葉をまく

『壺国』
昭和48年

前書に「下野羽黒社祭事」とある。宇都宮市北部にある羽黒山の山頂に祀られた羽黒山神社のご祭礼に際しての作。羽黒山は独立峰で展望台から北と東に鬼怒川や田野を望み、南には宇都宮市街や関東平野、遥かには東京スカイツリーなどを見渡すことができる。この神社は、平安中期に、藤原宗円が宇都宮城の築城に際し、出羽三山のご神霊を勧請して創建されたと云う。今でも地域の尊崇が篤い。静塔が訪れた際も多くの参拝者で賑わったのであろう。そこで撒かれる餅も底をつく。折しも、銀杏黄葉が散って人々の心を潤す。下五の字余りも神慮の余光か。

開花竹星は定めの座をつづく

『壺国』
昭和49年

竹は百二十年にして開花し、地下茎で繋がる竹林すべてが枯死すると云う。『壺国』では、掲句の前に〈開花竹揺れて世に古る眺めせし〉という句があり、自註に「〈……わが身世に古る眺めせし〉という下の句を使っている」として、老兆を嘆いた古歌と竹の枯死が結びついたと述べている。天体の寿命に鑑みれば、個体のそれは須臾である。しかし、それはあくまで個体の死であり、種としての生命は連綿と続く。一方、不死のような恒星もまた超新星爆発で壊滅し、その欠片から、また星が誕生する。掲句には生生流転の不可思議が蔵されている。

夜登りの富士は足許だけの山

『壺国』
昭和49年

「浄不浄」という前書に続く連作は、掲句も含めて富士登山の際に詠まれたもの。そこには〈星月夜われらは富士の蚤しらみ〉の句もあるが、これなどは星々やそれらを頂く霊峰と四苦八苦して登攀する人間達との対比がまさに浄不浄と共鳴する。そこで佐藤鬼房が、自らを蚤しらみと卑下する諧謔に却って人間存在の荘厳を感じると評したのは確かに肯ける。さて、掲句に戻ると、夜間登山の実体験ならではの臨場感が心に響く。登頂が問題なのではない。一歩一歩、無心に自らの足で山を登ることが貴い。それが中今《なかいま》を生きるということだからである。

黒羽も関の落葉として抜けし

『壺国』
昭和49年

63

当初、地名の黒羽かと思ったが、「白河」と前書がある。自註には、白河の関で鴉が落とした羽が余りにも鮮やかだったことが記されている。歳時記における落葉は冬の季題だから、それらは枯色だったのだろう。そこへ鴉の黒光りする羽根が落ちていたとすれば、一際目立って天空から抜け落ちた黒曜石の切片といった趣があったのかもしれない。いずれにしても、冬帝のなせる業と静塔は感じたのだろう。もっとも、白河の関の南には、かつて芭蕉が逗留した黒羽城〈城代家老邸〉があり、翁の〈枯枝に鳥のとまりたるや秋の暮〉の句も脳裡を掠める。

墨染を脱ぐべき上り鮭となる

『漁歌』
昭和50年

第一章「浪江の鮭」に配され、前書に福島県双葉郡浪江町泉田川とある。浪江町といえば、東日本大震災の津波でその沿岸部は壊滅し、福島第一原子力発電所事故による放射能汚染の害を被ったのは周知である。さて、墨染とは黒っぽい鮭の皮に由来するのだろうが、大海にあっては生殖に与らない鮭と不女犯を持する修行僧の黒衣とが重なる。鮭は生殖のため故郷の川を溯上する。その時、「墨染を脱ぐ」に含意される破戒あるいは還俗が想定されるが、本能でありしかも命がけとあればそれは許される。上り鮭に無為自然の貴さを確認する静塔がいる。

毛《け》野《の》にして霞める加波は偽筑波

『漁歌』

昭和50年

加波山は筑波山の北にあって尾根続きである。自註に「この景色を見たのは、宇都宮東南辺の広野」とあるから、「毛野」は下野つまり栃木県ということになる。東京から見ると筑波山はおおよそ一峰に見えるが、栃木県、特に宇都宮からは、筑波山も加波山も二峰に見える。しかも、そのあたりからだと筑波山より近い加波山が前景に立つ。余所者の静塔が加波山を筑波山と見誤るのも無理はない。しかし、加波山には日本武尊が創建したと云う古社もあり、また、山岳信仰の霊場にして、花崗岩を産する名山である。いずれ霞みも晴れにけむである。

いもとよりいとこ美し夏まつり

『漁歌』
昭和50年

夏祭りとは和歌祭のこと。この祭は紀州東照宮大祭の渡御の呼称である。和歌浦にある静塔の実家はその御旅所に間近く、思い出は深く彼の心に刻まれることとなる。もっとも、自註には「仄かな思春期の淡い心のなつかしさが、後年になってよみがえったのである」とあるように掲句は追想によるもの。いつも見慣れた妹よりも、たまに会ういとこの方が綺麗に見えるのはよくあることだが、夏祭りならなおさらだろう。単なる近親憎悪ではたわいない。海のない栃木にいればこそ、ふと海の匂いに包まれた故郷の思春期がやけに懐かしく感じられる。

苗竹の根付きし大和島根かも

『漁歌』
昭和50年

「竹に凝る若山幸央に」と前書のある連作の一つ。そこには〈地の上に苗竹といふ毛の生えし〉という句もあり、その自註には「若山農園（前述）の幸央俳人は、目下竹の実生に打ちこんで、開花竹から採った実を畑にまいて、秋には発芽新生して来たのを一目見せてくれた」とある。竹の開花も珍しければ、専ら地下茎で殖える竹にあっては、実生からの栽培は難しいとされる。精魂込めて育てた竹の苗はまだ毛のようだが、それは下毛野に相応しく、「毛」は豊穣も意味する。そうした実生の竹が根付けば大和島根へ、と詩想が深まるのも肯ける。

初浪の青海波にて矩《のり》こえず

『漁歌』
昭和51年

「青海波」は、華麗な雅楽の名曲であり、その名は舞人の衣装に描かれた波の文様に由来する。半円形を基本として、それを幾つか重ねる文様は、無限に広がる波に未来永劫の天下太平を祈念した図柄として吉相とされる。「初浪」は正式な季語ではないが、正月に初めて見る波として新年の季題に準じるかと思う。いずれにしても、静塔の故郷である和歌浦の片男波なども想像される。それは同時に幾多の波瀾を乗り超えてきた末に見る穏やかな波として新年の安からんことを約束しているようでもある。ちょうど「従心」を迎えた静塔の心境とも重なる。

蒲の絮とぶ竈《くど》神のさまよひて

『漁歌』
昭和51年

69

前書に「赤麻谷《や》中廃村」とある。掲句が詠まれたのは、住環境の変化と共に、ガスコンロが普及し、竈が姿を消していった時期と重なる。かつて、薪で火が熾された竈があった薄暗い土間は幽界の趣すら呈していた。それが竈神や三宝荒神などの信仰にも繋がったのかもしれない。また、火打ち石が使われた時代には、蒲の穂が火口として用いられたこともあり、それもまた竈神とともに居場所を追われたものとして互いに共鳴する。そもそも竈神は一つ目の神として鍛冶の神とも共通点がある。ちなみに後者は彷徨する。

140 — 141

指箸に米一粒や雲の峯

『漁歌』
昭和51年

野原などでの食事の出来事か。何なのか分からないが、とにかく、誰かが箸でそれを指し示したのだろう。「指箸」は嫌い箸の一つで、あまり行儀の良いものではないが、どうしても直ぐにそれを皆に教えたかったのだろう。雄大な雲の峰を前にして、ちょっと慌てた人の振る舞いが滑稽であるが、当人は箸に米粒が付いていることなど気に留めない。この米粒を冷静に捉えることができるのはそれを傍観している者だろう。しかし、箸が指し示すものよりも米一粒に囚われるのもまた滑稽。もちろん、山本健吉が指摘した俳句の三要素のそれである。

竹切夫竹より細く藪に入る

『漁歌』
昭和51年

竹より細い大人はいまい。しかし、竹藪となると話は変わる。地下茎で結ばれた竹藪を一つの植物と捉えるならばである。ただ、その場合、「藪より細く」となるはずだが、そんな小賢しい了見は野暮ったい。やはり、静塔は、竹より細い男を見たのである。ベテランの竹切夫なら飄々として竹藪に入り込んでするりと竹藪に消え去る。まるで竹と同化するように。そのしなやかな所作で竹と竹の間に消えていくその影は確かに竹より細く見える瞬間がある。掲句は、その特異な竹切夫の印象を捉えてクローズアップしているかのようである。

尾根よりは田植笠睦まじく見え

『漁歌』
昭和52年

尾根から見下ろす田圃ははるか遠くに見えるはずである。そこに早乙女が付かず離れず田植をしている。腰を曲げての作業だから、角度によっては田植笠のみが動いているように見えるかもしれない。もっとも、田植笠が早乙女の提喩なのかもしれないが。ところで、田植は、山神が田圃に降りてきて穀霊となる神事でもある。そう考えると、掲句はそもそも山神の視点からの眺めとも言える。つまり、作者は山神と一体となって田植を俯瞰しており、いっそう早乙女が愛おしく感じられる。その睦まじき早乙女の所作に句跨がりの破調もまた利いている。

陽炎の中に燈台上気して

『漁歌』
昭和53年

前書に「安房白浜」とある。春の日に暖められた大気は揺らめきながら上昇する。その際、光の屈折によって可視化される気流、あるいは、それによって遠くのものが揺らいで見える気象現象を陽炎と云う。蜃気楼や浮島現象などの幻影もその一つである。灯台もまた陽炎によって揺らめいて見えれば、まさに発射間近のミサイルのように感じられたのかもしれない。あるいは、春の空に飛び上がるような幻影として静塔の目に映ったのかもしれない。いずれにしても、ふだんは直立不動の灯台が一つの生命体として再認識されたのである。

木の晩《くれ》の八島めぐりは消えて出づ

『漁歌』
昭和53年

「室の八島」と前書がある。周知のように室の八島は『奥の細道』の旅で芭蕉が訪れた最初の歌枕だが、その当時、そこは荒れ果てていたようで、彼はついにそこで詠んだ句を『奥の細道』に加えなかった。イメージとかけ離れた惨状に堪えられなかったのだろう。しかし、近年、大神神社の境内には八つの小島を浮かべる池が再建されている。島々には富士浅間神社をはじめとして八つの祠があり、それぞれに橋が架けられており、古い社叢によって昼なお暗き神秘的な雰囲気を漂わせている。それらを巡ればまさに幽顕に出入りするかのような趣が感じられる。

栗拾ふものの光の見ゆるとき

『漁歌』
昭和53年

自註に「俳句の前後に翁の〈もののひかり〉がちらついたのも事実であった」と吐露している。芭蕉は、「もの」が脱観念化される詩的瞬間のインスピレーションを光と捉えた。静塔はさらに云う「多分太古の山人たちが、山中の自然木の栗を拾うときはこの句の心境だったか」と。ここで宮沢賢治の「どんぐりと山猫」を思い出す。要は固定観念からの解放と自然との対話が主題である。栗の木とも会話できる主人公だが、山猫からのお礼として選んだ黄金のどんぐりはすぐに色あせてしまう。「光」は早く言い留めなくてはならぬ。

最明寺殿の椿の落としもの

『漁歌』
昭和54年

前書に「益子　西明寺」とある。その名は堂宇を再建した北条時頼の法名・最明寺道崇に因んで益子寺から西明寺と改められたものである。また、もともと宇都宮城主の庇護も篤く、本堂厨子、三重塔、楼門は、国指定重要文化財であり、往時の隆盛を偲ばせる。境内には、時頼の手植えと伝わる樹齢七百年の「法幸の椿」があったが、現在はその枝を挿木した椿のみが奇跡的に残っている。おそらく、静塔が詠んだのはその椿である。時頼も法幸の椿も昔語りだが、その後胤が奇しくも花を咲かす。畢竟、人と椿の縁が時空を超えて落英の今となる。

筍の藪に蕪村がもうろうと

『漁歌』
昭和54年

与謝蕪村は、師・早野巴人《はやのはじん》の死後、寛保二年、二十七歳の時、同門の砂岡雁宕《いさおかがんとう》を頼って江戸から下総国結城(現・茨城県結城市)に遷るが、間もなく、近くの弘経寺《ぐぎょうじ》に入り、仏道修行と共に山水画や漢画の修業に励む。そこは前述した益子町に近く、静塔も結城・下館を訪ねたのだろう。当時の蕪村作『春景山水図』には、まさに竹林が描かれている。初夏には筍も多く見られたであろう。蕪村の跡を求めても蕪村は居ず、ただ、その求めし竹林が残っていたのであろう。畢竟、静塔はそこにこそ蕪村の俤をおぼろげながらも確かに感じ取ったのである。

三日月の光にふれて螢消ゆ

『漁歌』昭和54年

三日月ならば、その光が地上を照らしたとしてもそれほど明るくはなく、その光線もまた微かなものだろう。そうすると、掲句の「光」は、三日月そのものと考えられる。つまり、空に飛び立った蛍火が三日月の光に呑み込まれて消えたように見えたのだろう。もっとも、幽かな蛍火なれば、微かな三日月の光に感応してその火を消したのかもしれない。いずれにしても、どちらも繊細な冷光にして、もののあわれを感じさせる。そして、その根底にはアニミズム的な要素も覗える。天地人のささやかな交響も逃さない静塔の鋭い詩精神を感じる。

栃餅を月は捏《こね》方《かた》日は搗方

『矢素』
昭和55年

栃木県小山市には国指定史跡の寺野東遺跡がある。これは旧石器時代から近世に至るまでの複合遺跡で、特に縄文時代の水場遺構と木組み遺構は日本最大級を誇り堅果類（栃の実など）の灰汁抜き施設と考えられている。栃の実の灰汁抜きには半月以上の期間と高度な技術が必要とされる。今でも栃木県では灰汁を抜いた栃の実と餅米を混ぜて栃餅が作られる。掲句は明け暮れのいずれか分からないが、月光の柔らかさに女性性、日光の力強さに男性性を思えば、栃餅に命が宿るような感慨を覚える。灰汁抜きに要する長い月日や縄文時代の昔日も偲ばれる。

椿島空は真上の隣かな

『矢素』
昭和56年

前書に「伊豆大島にあそぶ」とある。椿は「東の大島・西の五島」と言われるように島嶼に自生の群叢が多い。かつて「海石榴」とも書かれたように、椿と海は深い関係があるようだ。岩手県には歴とした椿島があるが、ここでの「椿島」とは静塔の造語だろう。樹々に椿が咲き誇る大島が彷彿される。ここで〈しばらくは花の上なる月夜かな〉という芭蕉の句を思い出す。これと同様に掲句もまた花の上なる天空を詠んでいる。ただ、静塔が見た椿の花は真っ赤（おそらく）であり、青空との対比もあり、両者がまさに接しているかのような臨場感がある。

日の出前より赤赤と椿炭

『矢素』
昭和56年

椿炭は文字通り椿の木を原料とした炭である。その特徴として、着火が容易で火力も強く火持ちも良いが、火花は飛ばず引火の危険も少ないという。灰は真っ白にして赤い火の色がいっそう美しく映える。静塔が「赤赤」と表現したのも肯ける。まだ春浅き早暁の暖を取るにはこれほど相応しい炭もあるまい。静塔が逗留した宿の心遣いも心憎い。この火の色は、これから昇る太陽の色と共鳴するとともに、宿主の赤心とも通い合う。さらに、この火の色の美しさは、いま燃えている炭がかつて咲かせていたであろう真っ赤な椿の花へと溯っていく。

花御堂森にて象を休めしか

『矢素』
昭和56年

前書に「上三川・普門寺にて」とある。栃木県河内郡上三川町にある天台宗木上山普門寺のことである。かつては、高浜虚子や武者小路実篤などの文人も訪れた名刹である。今では境内の北に林が残るばかりであるが、往時は森が茂っていたのであろう。灌仏会なれば、小さく設けられた花御堂も美しく、張子の象と共に稚児行列などの儀式が行われる。出番を待っているのか、すでに一巡したあとなのか分からないが、張子の象が境内の森の蔭で休憩している。張子とはいえども子供達にとっては「象」なのである。しばし、静塔も童心に帰るひとときか。

山揚にかみなりは須佐之男の声

『矢素』
昭和56年

前書に「野州烏山夏祭」とあるが、栃木県那須烏山市の「山あげ祭」のことである。この「烏山の山あげ行事」は、ユネスコ無形文化遺産・国指定重要無形民俗文化財に指定されている。山とは、網代状に竹を組んだ木枠に烏山特産の和紙を幾重にも貼りその上に山水を描いた「はりか山」の事であり、それを背景として移動式野外劇が行われる。もともとは八雲神社の例大祭が特化したものであり、祭神は素戔嗚尊と同体とされた牛頭天王である。演目は八岐大蛇だったのかもしれない。折しもの雷は神鳴りであり、まさに「須佐之男の声」が響いたのである。

禅林の臥竜梅慌てずに咲く

『矢素』
昭和57年

自註によれば、この禅林とは、宇都宮市竹下町の臨済宗妙心寺派・瑞龍山同慶寺である。飛山城（国指定史跡）を築城した芳賀高俊が鎌倉末期に開基し、往時は支城としての役割も持ち、七堂伽藍を具えた大寺院だったという。今でもその広大な境内には梅林があり、早春には紅白の花が咲き誇る。あるものは枝を地に這わせて天を窺い、またあるものは枝を擡げて飛び立たんとする気色あり。山号よろしくまさに瑞龍を彷彿とさせる。ところで、仲春の季題として「竜天に登る」という措辞があるが、今はじっと花を咲かせて英気を養うばかりである。

一縷にて天上の凧とどまれり

『矢素』昭和59年

昭和五十八年、いわゆる「宇都宮病院事件」が起こる。静塔は同院の院長を辞めてすでに十二年を経ていたが、当時の院長が引責辞任すると、再び病院長に復帰し、病院の再出発に尽力することになる。この事件を契機として、後に「精神保健法」が成立し、患者の人権が保護されるようになった。そもそも静塔は〈精神科運動会天あけひろげ〉〈病室は大地のつづき青いなご〉と詠んだように、開放病棟を是とする患者中心主義を持論としていた。その思いは一縷にして、我が身は天上の凧として様々な風評や批判を耐えぬくのである。

雷が木を裂く高天原に似て

『矢素』
昭和60年

前書に「駒止湿原行」とある。前述したように地上では「宇都宮病院事件」という嵐が吹き荒れた。『矢素』の跋には、年が改まりようやく、事態が安定に向かって来たのを何よりと綴られている。一縷に耐え抜いた爪の在処である天上に近い高原へと静塔は向かった。そこは福島県南会津の標高千百メートルにある駒止湿原。ワタスゲやニッコウキスゲなどが咲き誇る楽園だが、雷が木を裂く自然の猛威もまた神々のなせる業。そこに天地開闢の舞台である高天原を洞見して大神等の広き厚き御恵に感謝し、誠の道あるいは医の道を確かめる静塔がいる。

初富士の正装白衣黒ばかま

『竹柏』

昭和60年

株式会社技術情報センターによる「冬から新年、初春に観たい広重の名所絵と俳句」（メルマガ「いいテク・ニュース」季語に遊ぶ）には、安藤広重の『名所江戸百景』「する賀てふ」と掲句がコラボレートされて、非言語と言語芸術の共鳴が新しい芸術世界を醸し出している。「する賀てふ」は両側を三越百貨店の前身である三井越後屋の大店が颯爽と立ち並ぶ駿河町通りを中心として、その奥に富士山が描かれている。雪を頂く富士は、まさに「白衣黒ばかま」の形をして正月なれば正装の趣である。白衣には医師としての矜持も新たなり。

涅槃図や今とこしへをはみ出して

『竹柏』
昭和60年

『自選自解　平畑静塔句集』には〈蘭奢待涅槃大図に匂ひ失せ〉の句があり、栃木県上都賀郡粟野町（現・鹿沼市）の医王寺での作（昭和六十年）とあるので、掲句もそこでの作と思われる。この寺は正式には東高野山弥勒院醫王寺という。現在は、仁王門、金堂、唐門、講堂などが残っているが、往時は、広大な境内に多くの堂宇が林立した一大寺院だった。その俤は唐門の荘厳な意匠からも容易に推測される。涅槃図の由緒も古く、その大巻は未来永劫を超脱して今ここに釈迦の涅槃が体現される。鄙なればこそいっそう感銘深いものがある。

秋彼岸墓は影もて時を告ぐ

『竹柏』
昭和60年

掲句の前に〈鉱毒の足尾を照らす大西日〉の句があり、共に栃木県上都賀郡足尾町（現・日光市足尾町）での作と思われる。足尾銅山は、江戸時代初期に開発され、明治時代には鉱毒事件（日本初の公害）を引き起こしたことでも知られる。銅山の最盛期は大正五年頃で、町の人口は四万人弱となり宇都宮に次ぐ殷賑を誇った。しかし、昭和四十八年の閉山以降は急速に過疎化が進んだ。放置された墓はその影を地に落として単なる日時計と化す。往時からその影は巡っていたのだろうが、今やそれは諸行無常を告げている。秋彼岸なれば尚更である。

一語にて足る竹切夫への指図

『竹柏』
昭和63年

前述したように、静塔がよく訪れていた若竹の杜での作か。朱に交われば赤くなると云うが、竹に交われば竹に似るのかもしれない。竹を割ったような、わだかまりのない素直な人品もその一つか。竹林の七賢における、以心伝心的な交遊はその究極かもしれない。また、長歌、短歌、連歌、そして俳諧の発句という流れに鑑みれば、固定観念に囚われず、しかも、物事の本質に即興的に通じる和歌の方向性が見えてくる。もちろん、一語で用が足りるには、無意識的な相互理解が大前提となる。「竹のことは竹に習え」と芭蕉が喝破した所以でもある。

水のなき海の底にて菊人形

『竹柏』
昭和63年

「笠間の菊まつり」での作か。その中心となる笠間稲荷神社には、菊人形も多く飾られる。太古、この辺りは海底だったこともあり、その深層で形成された花崗岩は稲田石として知られる。そうした地域性から「水のなき海の底」という着想が生まれたのかもしれない。そこに飾られた菊人形の華美は、かつて生命に満ちた海に通じるが、その寂静は、水を失った海底の雰囲気とも重なる。それがまさに菊人形から触発された静塔の独特な詩境として一句に立ち現れている。もちろん、そうした情趣は笠間のみならず、日本各地に感得されるべき所も少なくあるまい。

鉄格子からでも吹けるしゃぼん玉

『竹柏』
昭和63年

鉄格子とは、「刑務所」の提喩となるように、おおよそ人などの自由を制限するためにある。もっとも、それはその内側からの他害性や逃亡を妨げるのはもちろん、逆にその外側からの利他性や接近を妨げる二面性を具えた設備である。掲句の鉄格子とは、おそらく精神科の閉鎖病棟において患者を日常社会から隔離するためのもの。そうした一種非情なる鉄格子にも小さな通路はある。そこから吹かれたしゃぼん玉が外に現れた。そのゆがんだ表面にはゆがんだ社会が映っている。時の長短はあれども、それはまたしゃぼん玉と同じく儚いものである。

しやぼん玉院長の顔近く割れ

『竹柏』
昭和63年

前項では、しゃぼん玉とそれに映る社会の儚さを指摘したが、多くの人々が日常的に過ごしている社会が未来永劫に続くものだと思い込んでいる。もっとも、戦争、災害、迫害などで日常生活が破壊された体験のある人は別かもしれない。さて、「院長」とは社会的に評価され一定の権威を認められた人物の可能性が高い。当然、病院長だった静塔もまたその一人。しかし、静塔をして院長たらしめた社会がいつも正しくて永久不変の存在とは限らない。お釈迦様の手に触れて弾けるしゃぼん玉のように社会も院長も実は虚構であることを静塔は弁えている。

滝壺に落ちて椿の崩れざる

『竹柏』
平成元年

周知のように、椿の花は五弁の花びらからなるが、その根元は筒状に合着しており、散る際は開花した状態を保ったまま落下する。多くの離弁花では花びらがばらばらに散るので、両者の落花には大きな違いがある。ちなみに人が滝壺に落ちたなら、余程のことがない限り、椿の落花のように、五体を保ったまま沈下して浮き上がるだろう。つまり、椿の落花は人の落下（かつては首の落下）と似ていると言える。滝壺の碧水に浮かぶ椿の花はいっそうその赤さが際立って美しく見えるだろう。落ちて、あるいは死してこそ凛とした蘇生を見るが如しである。

表裏なくかがやく精神科の聖樹

『竹柏』
平成2年

クリスマスツリーの原形は古代ケルト人が冬至の祭で用いた樫の木と云う。彼らは多神教であったが、ゲルマン人による迫害やキリスト教の普及によって、それは三位一体を体現する縦の木へと変えられた。多くの一神教では、善悪など二元論に拠るところが大きいが、現代社会の規範もまたおおよそそれに基づいている。そして、そうした社会性と精神病が深く関わっていることは言うまでもない。ともあれ、精神科での診療では、治療者とクライエントの関係性において、まず、裏表のない真心の交流が何より大切である。掲句の聖樹が輝く所以でもある。

初朝日雷電の名の神ありて

『竹柏』
平成3年

96

前述したように宇都宮は雷都と呼ばれ、栃木県内には多くの雷電神社が残っている。主な祭神は、火雷《ほのいかずち》大神、大雷大神、別雷《わけいかずち》大神であり、雷電という名の神は見当たらない。掲句の神は「雷電様」という俗称に依拠するのだろう。いずれにしても、その意味するところは、諸々の雷神であることに変わりはない。また、雷電神社は関東に多く、関西では希である。和歌山出身で京阪にいた静塔にとって、栃木の雷電信仰は珍しかったのだと思う。ともあれ、初詣にて生命の根源である天照大御神と雷神を同時に拝める貴重なひとときだったに違いない。

初雪やけがれなくして狂へるよ

『竹柏』
平成3年

現代社会は、法律や倫理など、有形無形の秩序によって成り立っている。もちろん、それらは時代と共に変わる人々の価値観によって変動するものであり、絶対的なものではない。しかし、その時々の秩序に順わないものは、往々にして異端者として社会から疎外されてきた。その最たるものの一つとして「魔女狩り」が思い浮かぶが、その教訓を得たにもかかわらず、無辜の人が、社会の都合によって差別され迫害されることは今でも起こっている。社会的集団心理よりも、人間として天賦の良心が大事と思う。それを静塔は初雪の純白に見た。

蛇口にて復活祭の真水吸ふ

『竹柏』
平成3年

前述したように、略年譜には、昭和二十六年に「カトリックの洗礼を受け、（中略）その後離れる」とあるが、いつ棄教したのか分からない。いずれにしても、キリスト教が静塔の心に生涯にわたって影響したことは間違いない。ところで宇都宮の水道水は鬼怒川を介して神仏習合を旨とする日光修験の山岳に溯る。東洋においては西洋と違って、蛇や竜が神あるいはその使者とされることから、蛇口との接吻によって真の水を得たというのは、キリスト教的固定観念からの脱却を意味するのではないか。それは翻って静塔自身の復活だったのかもしれない。

花見する歩みゆくほど遠くなる

『竹柏』
平成5年

俳句作法においては、動詞の多用がよく戒められる。主語と動詞の関係性が曖昧となるが故に、観念的になりやすいからというのが一つの理由である。掲句はその轍を踏んでいるように見えるかもしれない。しかし、上五と中七に「切れ」を看取すれば、「花見する」は一種の動名詞的な措辞と見ることもできる。もっとも、上五を「お花見や」「観桜や」「花の宴」などとすれば良いことになるが、静塔にとって「花見する」のと「歩みゆく」はあくまでも同時進行でなくてはならないのだ。花見もまた人生という「歩み」の中に包摂されるからである。

金星の大き松山虫小声

『竹柏』
平成6年

この句が詠まれた平成六年は、十月二日に宵の明星がマイナス四・七九等級という最大光度となり、月に次ぐ明るい天体として輝いたと記録されている。静塔は、西にある松山の上にそれを眺めたのだろう。陰暦では八月二十七日にあたる。金星の明るさに圧倒されて、虫の声も小さく聞こえたのかもしれない。

この年は、アメリカ航空宇宙局が打ち上げた金星探査機マゼランがその地表の地形を明らかにした後に、金星大気に突入して任務を終えている。改めて深大なる宇宙を実感させられると、虫の声と同じく人間世界の大事も些細に感じられる。

平畑静塔小論

生い立ちから「ホトトギス」時代

明治三十八年、平畑静塔は和歌山県海草郡和歌浦町（現・和歌山市）に、紀陽銀行和歌浦支店長の父・藤八郎の三男として生まれた。しかし、二、三歳から六、七歳の頃まで、実家から片男波の養家に出される。そこは漁師町ということもあり、海浜を中心とした荒々しい生活環境の中で静塔は幼年期を過ごした。そこにおける肉親からの疎外感が、後々まで「独立自尊」あるいは「偏狭孤独」という性分に繋がったと静塔は自認する。

『月下の俘虜』の序で、山口誓子は「戦争がすんで久しい時の距たりの後に見た君（静塔）は、私の目には〈沈鬱の人〉として映つた。（中略）君の俳句形成に最も強い力となつたのはこれではなかつたか」と静塔を評し、「君を知るに従ひ、私はいよいよ君を信頼する念を深めた」と述べている。つまり、「沈鬱」だが「信頼の置ける存在」というのが、生涯にわたり静塔の人品であった。その遠因は前述した静塔の幼少期に溯るのである。もっとも、それは数年であれ、人格形成に重要な時期であり、そこにおける「父親の不在」は往々にして「母胎回帰」へと傾斜するが、静塔の場合、それもままならず、畢竟、自分で自分を乗り越えていくという苦行を自らに課さなければならなかった。それにはまず「父親の権能」というべきものを探す必要があったのである。

静塔が句作を始めたのは、大正十五年、京都帝国大学医学部に入学し、京大三高俳句会に入会したのが契機となるが、昭和三年に「ホトトギス」に投句するようになって本格的に俳句の世界に足を踏み入れることとなる。わざわざ上京して、丸の内ビルに高浜虚子を訪ねており、その「客観写生」「花鳥諷詠」を金科玉条とし、戦前戦後にわたって隆盛した「ホトトギス」の俳句に静塔は「父親の権能」

を認めて、まずはそれとの同化を試みる。

雲の峰立つばかりなる古城かな
海苔舟をつなげる松や玉津島
遥かなる拘禁房も花の中

これらの句は、「ホトトギス」誌上（年代順）に掲載された静塔の句である。一句目では、まさに隆盛する伝統的俳句の牙城である「ホトトギス」における「父性的権能」が「雲の峰」と「古城」に重なる。二句目では、女神を祀る玉津島に繋がる「母胎回帰」が仄見えるが、三句目になると、遠き拘禁房さえも併呑する「花」が象徴する「花鳥諷詠」という金科玉条に「ホトトギス」における「父性的権能」が洞見される。やがて、それ自体こそが「拘禁」という束縛として静塔には感じられるようになったのではないか。

新興俳句運動での挫折と復活

ところで、昭和初期における「ホトトギス」の最盛期・四S時代（水原秋櫻子、高野素十、阿波野青畝、山口誓子）の後、「客観写生」や「花鳥諷詠」による些末写生句を批判して、新しい芸術的な価値観を追求する新俳句運動が起こり、昭和三年、秋櫻子による「馬酔木」創刊、昭和六年、秋櫻子は「ホトトギス」を離脱することになる。

そうした状況にあって、静塔は昭和八年に「京大俳句」を創刊し、その編集責任者となって刊行に尽力する。当初は、自由主義の傾向が強い京都大学の伝統もあって、「ホトトギス」系の長谷川素逝、藤後左右など、そして、「馬酔木」系の静塔、その他新人が混在した。しかし、まもなく、日野草城、秋櫻子、誓子らが顧問となり、後に、西東三鬼、高屋窓秋、渡辺白泉、三橋敏雄らが参加し、自由主義を旨として新興俳句運動の中心的俳誌として無季俳句や戦争俳句が多く掲載されるようになった。そして、それらが反戦的と疑われ、昭和十五年、静塔、白泉、三鬼ら十四名が治安維持法違反にて次々特高警察によって検挙される（「京大俳句事件」あるいは「新興俳句弾圧事件」）。これによって「京大俳句」は廃刊となり、新興俳句運動は急速に衰退していった。

こうしてみると、当時は、虚子による「ホトトギス」王国が俳句界においても「父性的権能」として働いていたことが分かる。ここで、J・ラカンによる精神分析を適用すれば、そこにおける、技術論の「客観写生」と思想論の「花鳥諷詠」はまさに「父の掟」あるいは「父の名」として、弟子たちの全能性である「ファルス」を「去勢」することになる。つまり、当初は虚子に憧れた弟子の秋櫻子だが、いち早くその「去勢」に反発し、「芸術上の真」という詩法を奉じて「馬酔木」を立ち上げて「ホトトギス」を離反し「新興俳句運動」の旗手となる。

精神科医であればこそ静塔もまた前述した秋櫻子の行動にシンパシーを強く抱いたことは疑いない。しかし、秋櫻子が掲げた「芸術上の真」もまた「父の掟」であることを察知したがゆえに、静塔は「馬酔木」と距離を置き、京都大学の自由主義に裏打ちされた「京大俳句」を立ち上げて、そこを拠り所としたのだろう。

ところが、前述した「京大俳句事件」による検挙と投獄、さらには応召による戦地（中国）への出征によって、静塔は社会的死と肉体的死という二重の危機に直面して筆を折ることになる。しかし、この危急存亡を乗り越えることで、静塔は俳句界はもとより社会や生死といった二項対立的な固定観念を超克した境地へと参入することが可能となったと言える。

辛うじて、私が俳句に一筋の光明を見出したのは、戦後のことである。誓子先生の御看選、天狼同人会での猛烈な切磋、戦後の嶮しい公私生活の三つが、否応もなしに、私の俳句を私の俳句たらしめる道を取らしめたのである。（中略）私は現在の自己の未熟と薄弱と狭量と沈鬱を克服してゆく希望を燃やす。欠けたる事の多きを愉しむ。

これは『月下の俘虜』「後記」に記された静塔の言葉である。

根源俳句

静塔が誓子に惹かれたのは、新興俳句弾圧や当時は死の病と恐れられた結核との闘病といった二重の危機を乗り越えた誓子と自分の境遇が重なって見えたからかもしれない。誓子は、自然を対象として自己の存在を探求し、「写生構成」「即物具象」を説き、やがて「根源俳句」を主張するが、これに静塔も同調し、誓子を中心とする「天狼」という同人誌を創設する。ただ静塔がそこに目指していたものは、不完全な人間性の再認識とそれを超克する俳句的人格形成であり、その結果として、立ち現れる俳句こそが「根源俳句」であり、少なくとも、それは技術性や思想性に拘泥するものではなかった。

藁 塚 に 一 つ の 強 き 棒 挿 さ る

これは、本文でも取り上げた静塔による「根源俳句」の代表句とされる一句である。

飛瀑あり一尖兵の死に懸り
一本の道を微笑の金魚売
白障子までひとすぢに畝起す
一天の青き神代を里神楽
寒星は毛の両国に一つ星
指箸に米一粒や雲の峯
一縷にて天上の凧とどまれり
一語にて足る竹切夫への指図
たけのふしながくひとつぶづつしぐれ

静塔は「一つの多元を統一するものが明瞭である方が、俳人格として、自己の生命を表現するのに適していると思う」(『俳人格』)と述べているが、図らずも本文にて私が取り上げた右の句群に共通するのは「一」であり、静塔のいう「統一」に深く関わっていると思われる。誓子を中心とした「天狼」という名は、シリウスを意味し、太陽を除けば地球上から見える一等明るい恒星のことである。もっとも、それは、シリウスAとシリウスBの連星ではあるが、肉眼では一つの星として望まれる。これも一つの統一と思えば、まさに奇しきことである。

俳人格

やがて静塔の文芸哲学は「俳人格」という俳句理念へと展開する。評論集『俳人格』(角川書店)には、その要諦が次のように述べられている。

俳句性の確立ということ、表現における俳句性の確立ということは、この俳句的表現を欲求する作家そのものが俳句的に生活し、俳句的に人格発展完成すべきことを含むものであるというだけである。生活を俳句に引き寄せるということ(多くの人は俳句を生活に引きよせるというが)だけではなくして、自己の生命を俳句にすりかえてしまうことなのである。

多様性が重視される現代社会において、静塔が主張する俳句的な人格発展に徹することは至難の業と思われるが、近年、長谷川櫂が『俳句的生活』、小川軽舟が『俳句と暮らす』を著すなど、静塔の「俳人格」はそれらの先蹤として特筆して良い。もっとも、句作における主義主張は違っても、生命と俳句の同化こそ「俳人格」の要諦であれば、静塔は、芭蕉や虚子においてもそれを認める。後年、虚子を嫌った秋櫻子の「馬酔木」に「俳人格」説を寄稿した静塔の泰然自若もさることながら、秋櫻子の度量にもまた感服させられる。

宇都宮時代

さて、昭和三十七年四月、旧き盟友の三鬼が死去する。「京大俳句」からの縁で、静塔が沈鬱悲壮とすれば、三鬼は自由闊達。互いに欠けたるところを補完し合うことのできる無二の俳友であり、公私にわたって親交が深かった。それだけに三鬼がいなくなった関西を離れるに吝かではなかったのだろう。その年九月には、突如として栃木県宇都宮市に転居し、宇都宮病院に院長として赴任する。それを機に「天狼」編集長を辞任。北関東に残る縄文的風土に触発されて、いっそう句境が深まっていく。前述したように「宇都宮定住がよかった。静塔は下野の風土と調和して野性を加えた。」（『静塔・文之進　百物語』）と金子兜太が指摘した通りである。それらが体現された秀句を次に挙げる。

青胡桃みちのくは樹でつながるよ
みえぬものひかるしぐれのうへのあめ
海の中鯖青くして雪止みぬ
そばまきのことばことだま幸きはふよ
寒星は毛の両国に一つ星
栗拾ふものの光の見ゆるとき
栃餅を月は捏方日は搗方

まだまだ書き残したことはあるが、紙幅の都合もあり、このあたりで擱筆したい。

現在、私は、宇都宮市で毎年開催される「宇都宮城跡蓮池再生検討委員会」（会長・塚田宗雄、事務局長・印南洋造）主催の「蓮の俳句大会・俳号蕪村誕生の地・宇都宮」の選者を務めているが、同じく選者に静塔の愛弟子である中田亮先生がおられ、静塔のことを詳しく教えて頂いたり、本書を執筆するに際して様々な便宜を賜ったりしたことはまさに僥倖であった。また、資料収集に際しては、印南洋造氏にも大変お世話になった。ここに改めて心よりお礼申し上げる。ちなみに平成十八年の「平畑静塔先生生誕百年祭」で頂いた益子焼の湯呑みには静塔自筆の〈青胡桃みちのくは樹でつながるよ〉が焼き付けられており、今でも大切に使っている。

主要参考文献

平畑静塔『月下の俘虜』酩酊社
平畑静塔『旅鶴』遠星書館
平畑静塔『栃木集』角川書店
平畑静塔『壺国』角川書店
平畑静塔『漁歌』角川書店
平畑静塔「俳句研究」昭和53年6月号「原体験など」俳句研究社
平畑静塔『俳人格』角川書店
平畑静塔『自選自解　平畑静塔句集』白鳳社
平畑静塔『矢素』角川書店
平畑静塔『竹柏』永田書房
平畑静塔『平畑静塔集』俳人協会
永田耕衣・秋元不死男・平畑静塔『現代俳句の世界13　永田耕衣・秋元不死男・平畑静塔集』朝日新聞社
平畑静塔『平畑静塔俳論集』永田書房
長谷川櫂『俳句的生活』中公新書
石川文之進『静塔・文之進　百物語』近代文芸社
平畑静塔『「京大俳句」と「天狼」の時代』沖積社
平畑静塔『平畑静塔全句集』沖積社（編集　中田亮）
石川文之進『精神医学と俳句』幻冬舎ルネッサンス
平畑静塔著、平畑那木編『平畑静塔集』俳人協会
中田亮『平畑静塔「栃木集」秀句鑑賞』岩舟舎
有馬朗人『平畑静塔の業績　平畑静塔先生生誕百年祭特別講演』医療法人報徳会宇都宮病院
小川軽舟『俳句と暮らす』中公新書

初句索引

あ行

か行

さ行

季語索引

著者略歴

五島高資（ごとう・たかとし）

昭和43年5月23日、長崎市生まれ。自治医科大学医学部および同大学院博士課程卒業。金子兜太に師事。現代俳句新人賞、中新田俳句大賞・スウェーデン賞、現代俳句評論賞など受賞。「俳句スクエア」代表、「俳句大学」副学長、「豈」同人。日本俳句協会副会長、現代俳句協会オープンカレッジ講師、文學の森財団理事、日本文藝家協会会員。

句集に『海馬』（東京四季出版）、『雷光』（角川書店）、『五島高資句集』（文學の森）、『蓬萊紀行』（富士見書房）など。評論集に『近代俳句の超克』（日本俳句協会）、『芭蕉百句（英訳付）』（風詠社）など。編著に『無敵の俳句生活』（ナナ・コーポレート・コミュニケーション）など。共著に『現代俳句大事典』（三省堂）、『金子兜太の世界』（角川学芸出版）、『血液内科診療マニュアル』（日本医学館）など。

医師、博士（医学）。地域学者。医療法人社団望星会理事。元自治医科大学医学部内科学講座血液学部門 兼 総合教育部門講師（血液内科学・日本文学・地域学）。

発　行　二〇二三年九月一五日　初版発行
著　者　五島高資 © Takatoshi Goto
発行人　山岡喜美子
発行所　ふらんす堂
〒182-0002 東京都調布市仙川町一―一五―三八―2F
TEL（〇三）三三二六―九〇六一　FAX（〇三）三三二六―六九一九
URL http://furansudo.com/　E-mail info@furansudo.com

平畑静塔の百句

振　替　〇〇一七〇―一―一八四一七三
装　丁　和　兎
印刷所　創栄図書印刷株式会社
製本所　創栄図書印刷株式会社
定　価＝本体一五〇〇円＋税
ISBN978-4-7814-1588-8 C0095 ¥1500E